Y CRANC GAREDIG

Y Cranc Garedig

Stori gan ***Tuula Pere***
Darluniau gan ***Roksolana Panchyshyn***
Llunwedd gan ***Peter Stone***
Welsh Cyfieithu gan ***Evic Robinson***

ISBN 978-952-325-948-5 (Hardcover)
ISBN 978-952-325-949-2 (Softcover)
ISBN 978-952-325-950-8 (ePub)
Argraffiad Cyntaf

Cyhoeddwyd 2021 gan Wickwick Ltd
Helsinki, y Ffindir

The Caring Crab, Welsh Translation

Story by ***Tuula Pere***
Illustrations by ***Roksolana Panchyshyn***
Layout by ***Peter Stone***
Welsh translation by ***Evic Robinson***

ISBN 978-952-325-948-5 (Hardcover)
ISBN 978-952-325-949-2 (Softcover)
ISBN 978-952-325-950-8 (ePub)
First edition

Published 2021 by Wickwick Ltd
Helsinki, Finland

Originally published in Finland by Wickwick Ltd in 2017
Finnish "Avulias taskurapu", ISBN 978-952-325-072-7 (Hardcover), ISBN 978-952-325-572-2 (ePub)
English "The Caring Crab", ISBN 978-952-325-223-3 (Hardcover), ISBN 978-952-325-723-8 (ePub)

WELSH EDITION

Y Cranc Garedig

Tuula Pere · Roksolana Panchyshyn

WickWick
Children's Books from the Heart

Carwyn y Cranc oedd adeiladwr gorau ardal dwyrain yr afon. Roedd wedi adeiladu cartref bach clud iddo'i hun wrth yml yr afon. Yn araf bach, roedd ystafelloedd a lloriau wedi dechrau cael ei ychwanegu, wrth i'r adeilad ddringo o'r cerrig a'r tywod. Yn gyntaf, roedd wedi adeiladu gegin addas ac ystafell wely bychan uwchben y seler. Yn ystod yr haf diwethaf, roedd y tŷ wedi derbyn ei ail lawr, yn ogsytal a balconi crand.

Roedd yr adeiladwr bach yn hynod o falch, ond roedd dal yn brysur wrth gynllunio mwy o newidiadau er mwyn gwneud ei dŷ yn fwy addas a chrand. Roedd Carwyn y Cranc yn weithiwr caled ac yn hynod o ddyfeisgar. Unwaith roedd yr haul yn tywynnu'n y bore, roedd Carwyn yn rhoi ei siaced oren amdanof ac yn casglu'r offerynau y bydd ei angen yn ystod y diwrnod. Ambell i ddiwrnod, roedd yr haul wedi hen fachlud erbyn i Carwyn penderfynu rhoi'r gorau iddi ac anelu am adref.

Weithiau ar nosweithiau glir, ni all Carwyn dioddef gysgu, ac felly roedd yn nofio o amgylch ei dŷ gyda'i gynffon yn chwifio'n gynhyrfus. Fyddai'n ail osod y cerrig, llnau y grisiau neu torri'r planhigion roedd yn tyfu'n wyllt wrth ochr yr afon.

Noson chynnes ym mis Awst oedd hi, a roedd Carwyn y Cranc yn eistedd ar y to wrth wylio'r afon a'r caeau o'i amgylch. Roedd nenlofft Carwyn yn cyraedd arwyneb y ddaear, wedi ei guddio yn nail yr hesgen. Er fod golygfa uwchben yr afon yn hynod o brydferth, nid oedd yn cymharu gyda'i gartref a'r afon. Roedd y cranc yn nabod pob twll a chornel, a phob carreg a brigyn fel cefn ei law.

Roedd dŵr clir a chroyw yn rhedeg i'r afon o fryniau a mynyddoedd pell, ac yn chymysgu â dŵr o'r caeau agos ar ei ffordd. Wedi ei gysgodi gan y cerrig a'r bae, roedd y pysgod ac llawer o anifeiliaid eraill yn magu eu plant yno. Roedd ddigonedd o fwyd i bawb.

Bob hyn a hyn, fyddai'r ffynon yn cynnwys rhyfeddodau, a roedd Carwyn wedi casglu ddigonedd o bethau defnyddiol iawn. Roedd wedi troi hen esgid fewn i stordy enfawr, ac hen gan fewn i le tân braf.

Wrth iddi nosi, aeth y dŵr yn dywyll a mi gododd y lleuad i'r awyr ddu wrth oleuo'r bae a chartref Carwyn. Roedd yn amser iddo ddod lawr o'r to, a ddychwelyd i'w gartref ddiogel.

Canodd Carwyn y Cranc yn llon i'w hun wrth baratoi byrbryd min nos. Gan ddal mwg o de poeth yn ei grafangau, eisteddodd yn ei gadair siglo, ac edrych drwy'r ffenestr ar ei iard. Yno, dan olau'r lleuad, gallai weld yn yr ardd y pafiliwn roedd ar ganol ei adeiladu. Roedd wedi breuddwydio am gael pafiliwn yn ei ardd ers hydoedd, a nawr mi roedd ganddo'r defnyddiau ac wedi dechrau adeiladu'r sylfaen yn barod. Roedd dal llawer o waith i'w wneud, ond mi roedd wedi gobethio gwario gweddill yr wythnos yn ei orffen.

Unwaith roedd wedi ei orffen, fydd yn gwahodd llawer o'i ffrindiau drosodd am wledd ac ambell i barti. Roedd Carwyn yn nabod ei gymdogion yn dda, ac mi roeddynt yn ymweld ag ef yn aml i adrodd straeon neu gofyn am gymorth. Defnyddiol iawn oedd ei grafangau cryf wedi bod dros y blynyddoedd, wrth adeiladu tŷ y crwban, a nyth i deulu'r eogiaid. Roedd hefyd wedi helpu un o'r eogiaid bychan pryd gafodd ei ddal mewn rhwyd, a ni fydd chartref Miss Pysgodyn yn sefyll o ni bai am Carwyn.

Gwichiodd y llawr dan pwysau y gadair siglo, wrth i Carwyn gau ei lygaid a ddychmygu sut bydd yn gwario ei amser hamddenol yn y pafiliwn yn fuan, yn gwylio'r afon a'r pysgod yn mynd heibio. Penderfynodd fod yn amser mynd i'w wely.

Ar bore dydd Llun, deffrodd Carwyn y Cranc i'r ffon yn canu. Miss Pysgodyn oedd yn ffonio, a mi roedd hi'n flin. Doedd hi ddim wedi cysgu'n dda iawn gan fod ei gwter wedi torri, a roedd wedi bod yn gwichian drwy'r nos tu allan ei ffenest gwely.

"Carwyn bach, wnei di ddod i'w drwsio mor fuan a sydd bosib, os gweli di'n dda?" gofynodd.

"Wrth gwrs," ochneidiodd Carwyn.

Ni all Carwyn dweud na, er ei fod yn gwybod fydd rhaid iddo wario'r diwrnod cyfan yn nhŷ Miss Pysgodyn, a felly methu adeiladu ei bafiliwn tan yfory.

Casglodd ei offerynau arferol a'u rhoi yn ei berfa, yn cynnwys gwifren, darnau o ford a hoelion. Pwy oedd yn gwybod pa phroblemau eraill all godi yn nhŷ Miss Pysgodyn.

Dyna ble roedd Miss Pysgodyn yn disgwyl yn ddiamynedd ar garreg y drws. Roedd wedi paratoi teisen a choffi ar bwrdd y gegin ar gyfer Carwyn, a bydd yn sbel cyn iddo cael dechrau gweithio. Yn gyntaf roedd rhaid gwrando ar storiau Miss Pysgodyn, ac yna edrych ar lluniau o'i theulu.

Wrth iddi nosi, cadwodd y cranc ei offerynau tra'n sychu ei grafangau budr ar darn o wymon agos. Roedd wedi ei ymladd, ond o leiaf roedd y gwter wedi ei thrwsio a mi roedd wedi newid goleuadau y drws ffrynt.

Dywedodd hwyl fawr i Miss Pysgodyn wrth iddi chwifio'i braich yn hapus iawn. Doedd ddim wedi gorfod symud allan o'i thŷ hen bler wedi'r cwbl, diolch i Carwyn.

Wel, doedd ddim gwaith wedi cael ei wneud ar y pafiliwn heddiw, ond ni all Carwyn gwyno. Roedd ganddo galon fawr, a roedd yn hapus helpu pawb roedd ei angen, ac yn mwynhau teimlo'n ddefnyddiol.

Wrth i'r haul godi, roedd Carwyn y Cranc yn gweithio'n galed ar ei dŷ. Heddiw fydd yn gweithio trwy'r dydd ar y pafiliwn, a ni all ofyn am diwrnod fwy addas, wrth i'r haul dywynnu a'r afon rhedeg heibio'n dawel.

Wrth iddo orffen osod sgaffaldiau, daeth Manon y Madfall Ddŵr heibio. Roedd ganddi deulu anferthol, a roedd wastad yn hynod o brysur.

“Wel, does dim denig yr holl waith sydd arnai heddiw,” ochneidiodd Manon. “Mae'n rhaid golchi'r deg ffenest y tŷ, a byddai llawer haws gyda sgaffald fel honna. Bydd hyd yn oed cyraedd y ffenestri llofft yn hawdd!”

“Fedrai ddod drosodd i dy helpu,” cynigiodd Carwyn. “Mae gen i ddigon o amser i orffen y pafiliwn yma yfory. Gad i mi ddod a'r sgaffold ma'i lawr a ddoi a fo drosodd.”

Gweithiodd Carwyn yn galed trwy'r dydd Mawrth yn nhŷ Manon. Wrth i'r haul fachlud, roedd y ffenestri yn ddisgleirio a roedd Carwyn wedi trwsio'r thermomedr a wedi sythu giât gam.

Ar ol cyraedd adref, aeth Carwyn yn syth i'w wely wedi blino'n lân. Fory bydd y diwrnod i weithio ar ei bafiliwn, penderfynodd cyn disgyn i gysgu.

Roedd gan Carwyn y Cranc bob mathau o ffrindiau. Rhai mawr a bach, hen ac ifanc, tawel a swnllyd. Ond Sali y Seren Fôr oedd yr un mwyaf adfant. Yn aml fyddai Carwyn yn casglu pethau ddisglair a gwerthfawr o waelod yr afon ac yn ei rhoi i Sali er mwyn iddi addurno ei thŷ. Roedd hi'n hoff ofnadwy o ddrychau, gan ei fod yn gallu edmygu adlewyrchiad ei hyn ynddynt. Roedd ei breichiau o hyd yn lân ac yn daclus.

Roedd Carwyn unwaith eto ar fin dechrau ar ei waith pan nofiodd Sali heibio.

"O Carwyn, fedri di ddim dychmygu pa mor isel ydw i heddiw!" tuchodd Sali. "Wythnos cyfan, a does ddim byd hwyl wedi digwydd!"

"Wel am biti," cydymdeimlodd Carwyn, wrth sefydlu polyn rhwng y cerrig. "Beth yw y broblem?"

Roedd Carwyn yn amau nad oedd llawer o'i le mewn gwirionedd, ond roedd Sali angen rhywyn i wrando arni.

Aeth Carwyn yn ei flaen i weithio wrth i Seren adrodd storiau am beth oedd wedi mynd o'i le yn ystod y dyddiau diwethaf.

I ddechrau, roedd diwrnod Sali yn y sba wrth y bae wedi bod yn drychineb. Roedd ei chroen wedi throi'n wyrdd ac wedi dechrau torri, ac yn bell o fod yn esmwyth. Ar ben hyn i gyd, roedd wedi ddiflasu'n llwyr â addurniadau ei thŷ.

"Does neb wedi ymweld ers dyddiau chwaith," cwynodd Sali wrth croesi dwy o'i breichiau tu ol i'w phen.

"Fedrai ddod am baned heddiw, a mae gen i drysorau sgleiniog newydd ar dy gyfer. Fedrai gludo nhw i dy ddrws mewn chwinciad," addawodd y cranc.

Yn sydyn mi ddiflanodd pryderon Sali, a mi aeth am ei chartref yn fodlon. Yn fuan daeth Carwyn i lawr o'r sgaffald i'w ddilyn.

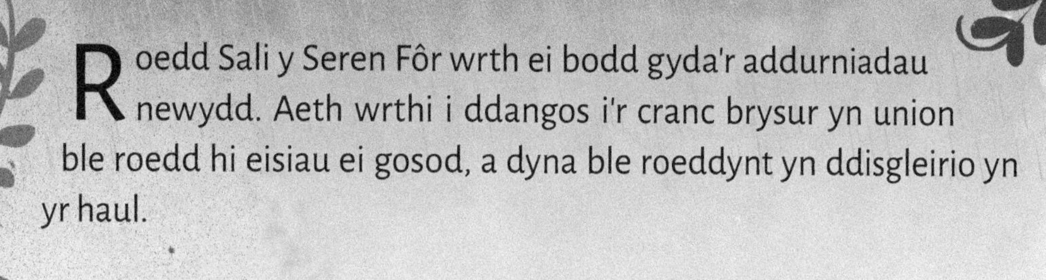

Roedd Sali y Seren Fôr wrth ei bodd gyda'r addurniadau newydd. Aeth wrthi i ddangos i'r cranc brysur yn union ble roedd hi eisiau ei gosod, a dyna ble roeddynt yn ddisgleirio yn yr haul.

Roedd cefn Carwyn wedi dechrau brifo ar ol yr holl waith caled. Yn araf, fe anelodd am adref, ac yna eisteddodd yn gyfforddus yn ei gadair siglo. Roedd dydd Mercher hefyd wedi hedfan heibio.

"Brin dwi wedi dechrau ar fy mhafiliwn. Tybed os gai ei orffen cyn y penwythnos," feddyliodd wedi blino.

Rhwng y llenni yn ei ystafell wely, fedrai weld fflachau yn goleuo'r awyr tywyll dros yr afon.

"Mae'n siwr fydd y storm yn gadael ddigonedd i'w drwsio yfory," feddyliodd cyn disgyn i gysgu.

Ar ol noson hir a swnllyd, fe wawriodd yr haul ar bore dydd Iau. Roedd y storm wedi gadael yr awyr yn weddol dywyll, a roedd diferion o law yn taro arwyneb yr afon. Roedd yn llifo'n gyflym, wrth cludo dŵr o'r caeau i lawr i'r môr.

Doedd Carwyn ddim wedi cael noson dda o gwsg, ond roedd yn awyddus i ddechrau ar ei waith ar ol cael ei uwd. Gyda bach o drafferth, sefydlodd fwy o distiau yn eu lle ac o'r diwedd roedd yr adeilad yn dechrau edrych fel pafiliwn hardd. Cododd ei galon.

Ond cyn bo hir roedd yna gynnwrf ar waelod y sgaffald, a fu rhaid iddo ddarfod gweithio. Welodd casgliad o eogiaid bychan yn ymddwyn yn wyllt.

“Beth ar y ddaear,” ddechreuodd Carwyn. “Beth sydd yn mynd ymlaen? Fedrwch chi'm gweld fy mod i'n gweithio?”

“Mae'n ddrwg gennyf am darfu arnyt,” meddai'r fam dros ei phlant. “Mae y plant wedi cynhyrfu gan fod y storm wedi dinistro ein cartref neithiwr. Mae'n siwr eu bod yn teimlo'n gartrefol o dan y sgaffald, gan ei fod eithaf debyg i'n hen gartref ar ochr arall y bae cyn y storm.”

“Dyna ddigwyddodd yn wir! Cymerodd y llifogydd ein cartref,” criodd y plant. “Ydio'n bosib aros yma yng nghysgod y sgaffald os gwelwch yn dda Mr Cranc?”

Fedrai Carwyn ddim dweud na wrthynt. Roedd yn amlwg eu bod yn hapus yno yn nofio o amgylch y sgaffaldiau, a roeddynt wedi cael amser caled.

Doedd Carwyn ddim yn disgwyl i'w ddiwrnod droi allan fel hyn. Roedd yr iard yn llawn o bysgod bychan, ac roedd yn hynod o anodd iddo weithio ar y pafiliwn. Penderfynodd byddai'n syniad da llnau y tŷ ar gyfer y penwythnos.

Ond druan ar Carwyn, doedd hi ddim yn hir cyn i'r pysgod alw am ei gymorth unwaith eto. Roedd bord wedi disgyn ar ambell i blentyn wrth iddynt chwarae ar y sleid, a fu rhaid i Carwyn ei godi er mwyn iddynt allu dianc.

Amser cinio, welodd Carwyn llwyth o lygaid bychan yn sbecian arno drwy'r ffenestr. Roedd y pysgod llwglyd yn gobeithio cael mymryn bach o bryd y cranc. Yn ffodus, roedd Carwyn wedi paratoi digon o gawl, a gafodd y teulu o bysgod cinio hefyd.

Cyn bo hir roedd hi'n nosi unwaith eto. Er fod Carwyn yn hoff iawn o gael partïon hwyl gyda'i ffrindiau, roedd y cynhyrf yma wedi bod bach yn ormod iddo. Roedd hi'n hwyr iawn cyn fedrai'r fam dawelu y plant a cael nhw i'w gwlau, ac o'r diwedd mi ddaeth tawelwch dros iard Carwyn.

Bydd rhaid i'r pysgod dod o hyd i gartref newydd yn fuan.

"Efallai fydd rhaid i mi adeiladu tŷ newydd i'r pysgod nesaf. Neu ni gai byth orffen y pafiliwn yma!" ochneidiodd Carwyn.

Ar ddiwedd wythnos o waith caled, roedd Carwyn fel arfer yn hapus a bodlon. Ond doedd hyn ddim yn wir ar y dydd Gwener yma. Roedd Carwyn yn teimlo'n flin ac roedd wedi blino.

Roedd wedi mwynhau cael gweld a cael helpu ei ffrindiau yn ystod yr wythnos, ond a dweud y gwir roedd y pysgod bach yn nofio'n wyllt o amgylch y pafiliwn wedi dechrau gwylltio Carwyn. Caeodd y llenni'n ddig.

Ar ddydd Gwener arferol fyddai Carwyn wedi mynd i siop y lygoden gyda'i ferfa er mwyn cael bwyd melys ar gyfer y penwythnos. Wedyn mi fyddai'n coginio prydoedd blasus, efallai pobi cacen hyd yn oed, a gwahodd ambell i ffrind drosodd am baned.

Ond nawr, prin oedd gan Carwyn yr egni i agor ei flwch lythyrau a darllen y papur newydd. Porodd drwy y storiau a'r hysbysebion yn yr Afon Ddyddiol heb gymeryd fawr o sylw. Yn sydyn, ddisgynodd lythyr o'r tudalennau.

"Dyma'r newyddion gorau i mi gael ers sbel," feddyliodd Carwyn wrth ei ddarllen. Roedd wedi enill pleserdaith i fyny'r nant at y rhaeadr mewn loteri.

"Rydw i wedi breuddwydio am fynd i weld y rhaeadr ers stlawm. Fedrai'm disgwyl i ddweud wrth fy ffrindiau am fy wobr." Chwerthodd Carwyn i'w hyn yn llon.

Gafaelodd Carwyn yn y ffon yn gyffrous a phenderfynodd ffonio Sali y Seren Fôr. Cyn i'r cranc cael dweud helo hyd yn oed, roedd Sali wedi dechrau stori ddiflas am ffrog crand roedd ar ganol dylunio ar chyfer ei hun.

“Tybed os porffor ta glas golau sydd yn edrych yn well arnaf,” feddyliodd Sali yn uchel. “Mae'n siwr nid ti yw y gorau i rhoi barn, chwaith. Fyddai'n syniad gwell ffonio'r llymarch.”

“Efallai dyna sydd orau. Nid ydwi'n gwybod llawer am ffrogiau crand,” atebodd Carwyn.

“Wel, siarad yn fuan,” meddai Sali ar frys.

Roedd hi wedi mynd cyn i Carwyn cael cyfle i ymateb. Wedi syfrdanu, arhosodd yn llonydd am sbel gyda'r ffon dal yn ei law.

“Efallai fydd well ffonio Llion y Lywysen felly. Os rydw i'n cofio'n gywir, mae wedi gwario ei wyliau yn ymweld a'r rhaeadr. Gobeithio fydd ganddo gyngor ar gyfer fy siwrne.”

Roedd Carwyn yn disgwyl ym amyneddgar i Llion ateb ei ffon, ond doedd ddim ateb i'w gael. O'r diwedd, atebodd Llion y ffon ond nid oedd yn swnio'n rhy hapus.

“Gwranda Carwyn, nid yw hyn yn yr amser gorau am sgwrs. 'Dwi ar fy ffordd i barti ffrind a rydw i'n hwyr yn barod. Fyswn i'n hoffi cyraedd cyn i'r lleill fwyta'r bwyd i gyd. Bysa well siarad rhywbryd eto, os nad oes rhywbeth hynod o bwysig.”

Gosododd Carwyn y ffon i lawr. Doedd ddim eisiau siarad am ei wobr loteri rhagor, a dweud y gwir roedd yn barod am ei wely.

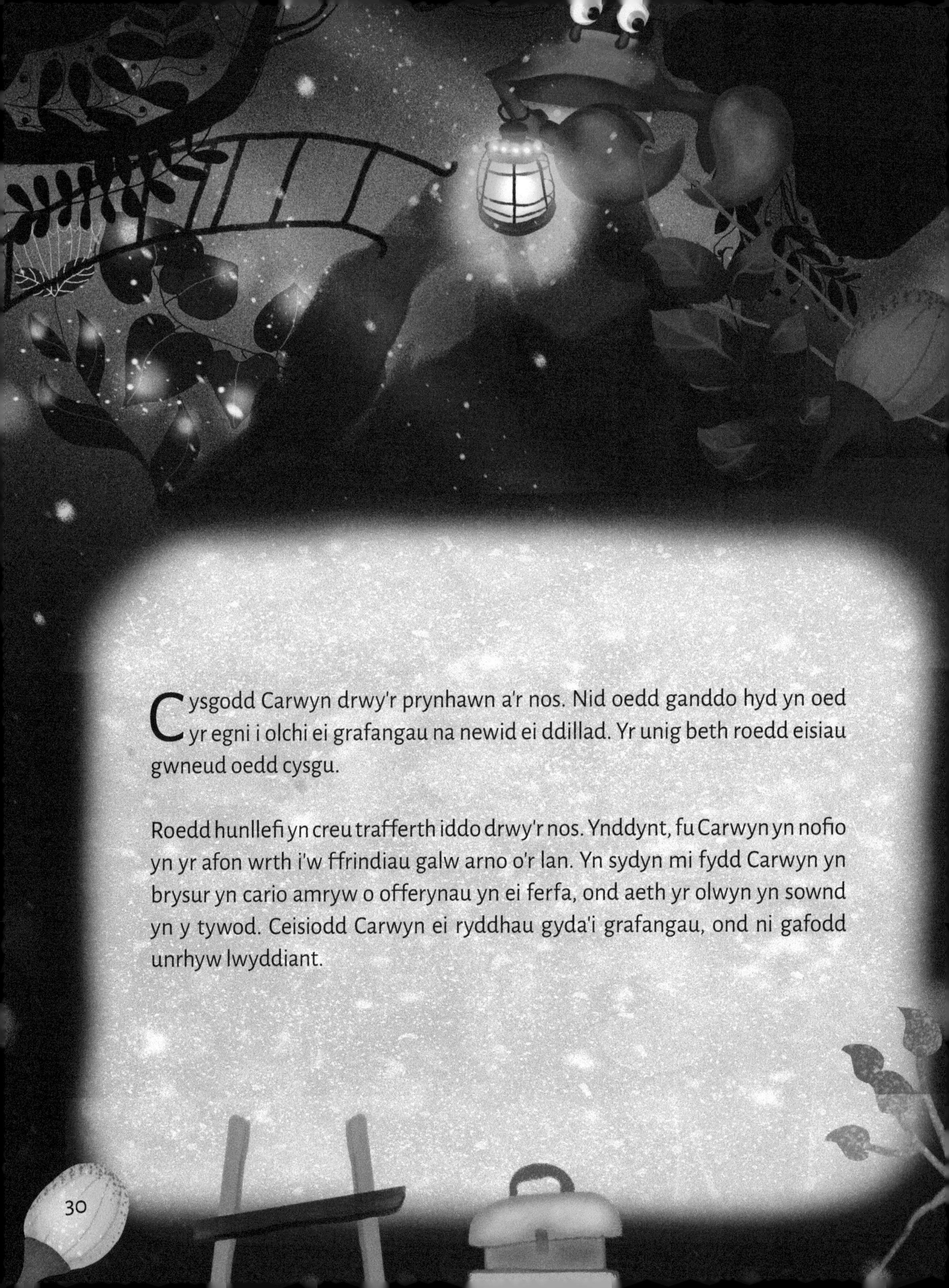

Cysgodd Carwyn drwy'r prynhawn a'r nos. Nid oedd ganddo hyd yn oed yr egni i olchi ei grafangau na newid ei ddillad. Yr unig beth roedd eisiau gwneud oedd cysgu.

Roedd hunllefi yn creu trafferth iddo drwy'r nos. Ynddynt, fu Carwyn yn nofio yn yr afon wrth i'w ffrindiau galw arno o'r lan. Yn sydyn mi fydd Carwyn yn brysur yn cario amryw o offerynau yn ei ferfa, ond aeth yr olwyn yn sownd yn y tywod. Ceisiodd Carwyn ei ryddhau gyda'i grafangau, ond ni gafodd unrhyw lwyddiant.

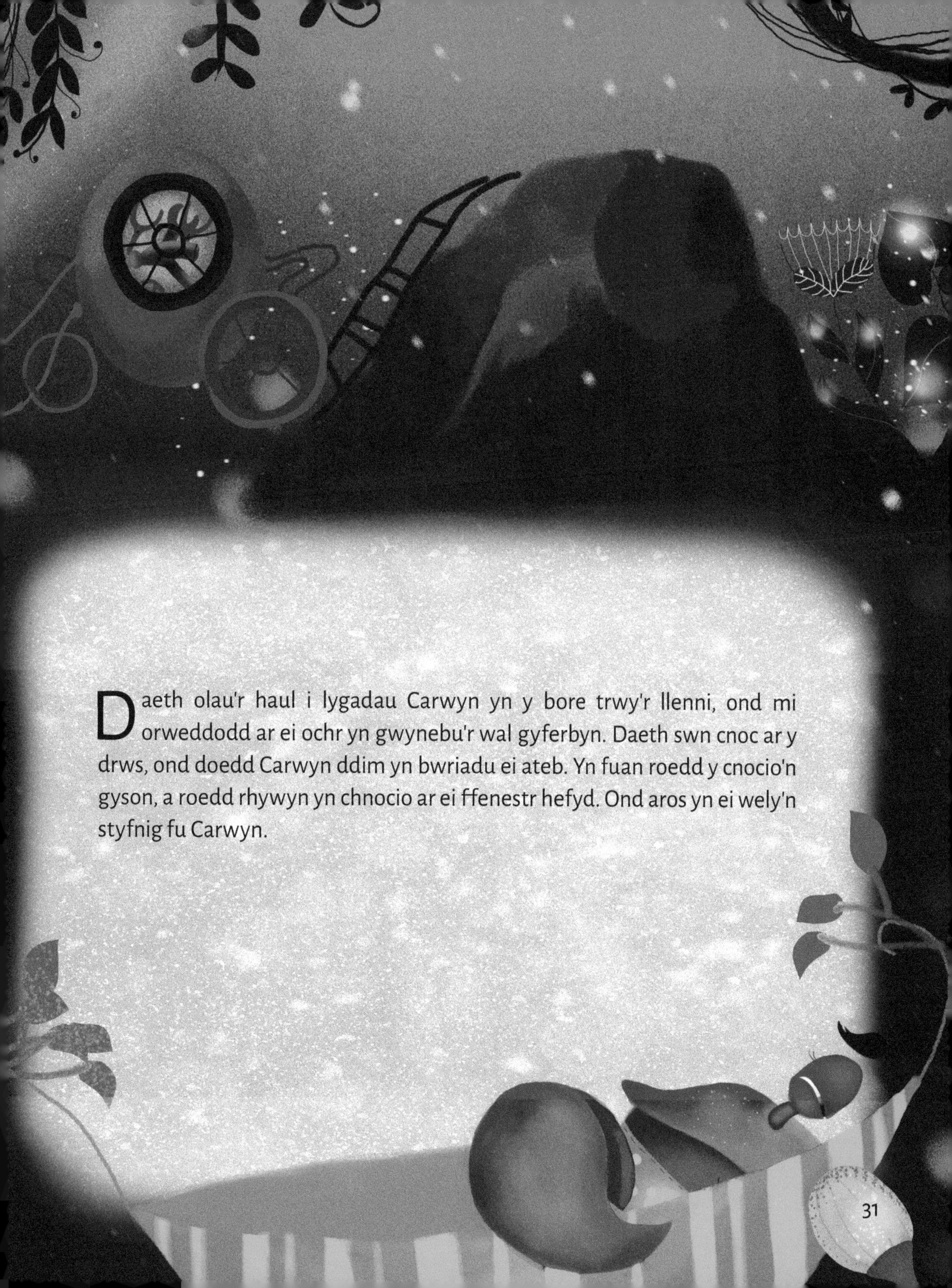

Daeth olau'r haul i lygadau Carwyn yn y bore trwy'r llenni, ond mi orweddodd ar ei ochr yn gwynebu'r wal gyferbyn. Daeth swn cnoc ar y drws, ond doedd Carwyn ddim yn bwriadu ei ateb. Yn fuan roedd y cnocio'n gyson, a roedd rhywyn yn chnocio ar ei ffenestr hefyd. Ond aros yn ei wely'n styfnig fu Carwyn.

Roedd criw o ffrindiau wedi casglu ar garreg ddrws Carwyn y Cranc. Sylwodd y pysgod bach y diwrnod cynt fod Carwyn yn ymddwyn yn rhyfedd iawn, ac yn amlwg roedd rhywbeth o'i le.

Dywedodd fam yr eogiaid wrth Miss Pysgodyn am y sefyllfa, ac yna mi ffoniodd hithau Llion y Lywysen, ac ynta Sali y Seren Fôr. Roedd llawer mwy o wynebau gyfarwydd yno hefyd, i gyd wedi drysu ac yn poeni.

Penderfynodd y ffrindiau cynnal cyfarfod brys yng nghanol y pafiliwn. Cymerodd bawb ei tro i adrodd eu hanes am yr wythnos diwethaf, ac ar ol clywed yr hyn i gyd, roedd yr canlyniad yn amlwg.

Roedd Carwyn wedi helpu pawb yn ei tro, ond doedd neb wedi cymeryd yr amser i helpu Carwyn.

Teimlai Llion a Sali'n ofnadwy wrth iddynt sylwi nid oeddynt hyd yn oed wedi gwrando ar Carwyn ar y ffon yng nghynt.

Roedd fam yr eogiaid yn teimlo'n euog hefyd, ac yn sicr mai ei physgod bach yn byw o amgylch y pafiliwn oedd y prif rheswm am ymddygiad rhyfedd Carwyn. Doedd ddim wedi cael cyfle i orffen adeiladu y pafiliwn gan eu bod yn ei ddefnyddio fel cartref newydd.

"Mae'n rhaid i bawb helpu er mwyn datrys hyn," meddai Llion y Lywysen.

"Mae hynny'n sicr," cytunodd Miss Pysgodyn. "Fedrith bawb helpu mewn rhyw ffordd. I ddechrau arni geith yr eogiaid dod i fyw yn fy nhŷ i. Rydw i'n byw ar fy mhen fy hyn, ac wrth fy modd yn gwarchod."

"Acmaegennaiddawnambeintio," meddaiSali. "Fedraiddefnyddio pump brws paent ar unwaith!"

Wrth i'r sgwrs fynd yn ei flaen, fe ddyluniodd ffrindiau Carwyn gynllun i'w helpu ac i godi ei galon unwaith eto.

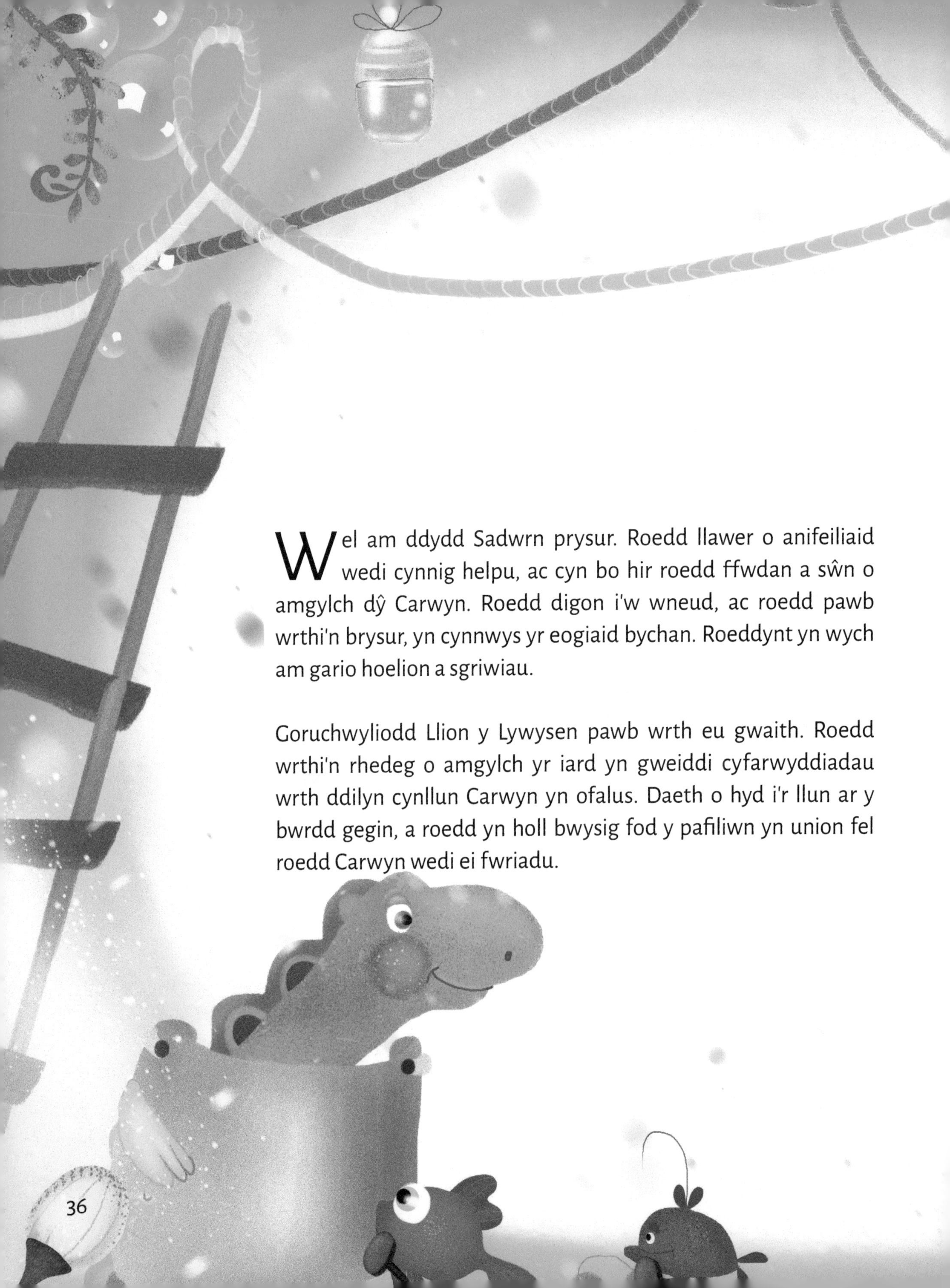

Wel am ddydd Sadwrn prysur. Roedd llawer o anifeiliaid wedi cynnig helpu, ac cyn bo hir roedd ffwdan a sŵn o amgylch dŷ Carwyn. Roedd digon i'w wneud, ac roedd pawb wrthi'n brysur, yn cynnwys yr eogiaid bychan. Roeddynt yn wych am gario hoelion a sgriwiau.

Goruchwyliodd Llion y Lywysen pawb wrth eu gwaith. Roedd wrthi'n rhedeg o amgylch yr iard yn gweiddi cyfarwyddiadau wrth ddilyn cynllun Carwyn yn ofalus. Daeth o hyd i'r llun ar y bwrdd gegin, a roedd yn holl bwysig fod y pafiliwn yn union fel roedd Carwyn wedi ei fwriadu.

Roedd Sali yn benderfynol fyddai'r pafiliwn yn edrych yn well ym mhob mathau o liwiau llachar. Ym mhob braich roedd brws paent lliw gwahanol.

"Glas mae o i fod, a glas yn unig," meddai Llion yn gadarn. "Dyna sydd ar y cynllun yma, ac hefyd dyna yw hoff liw Carwyn. Lliw yr awyr a'r afon."

Roedd y pysgod cregyn yn gymorth mawr hefyd. Roedd chwech corgimwch yn gwneud llawer o waith mewn amser byr, ond chwarae teg mi roedd ganddynt chwe' deg o goesau rhyngddynt. Ac er mai dim ond un coes oedd gan Mali y Malwoden, hi oedd y gorau am lanhau'r llawr.

Wrth i'r noswaith barhau, dechreuodd ddistewi yng nghartref Carwyn y Cranc. Roedd y pafiliwn yn barod, a roedd yr anifeiliaid yn hynod o falch, er eu bod wedi blino. Yfory bydd yr amser i ddatgelu yr anrheg i Carwyn.

Ar ol gorffen clirio aeth pawb am adref, ac aeth yr eogiaid gyda Miss Pysgodyn yn ol i'w thŷ. Roedd tŷ Carwyn yn hollol ddistaw. Dim ond un golau oedd i'w weld yn ffenestr y gegin, a Sali roedd honno. Penderfynodd aros dros nos er mwyn gofalu am ei ffrind, ac roedd wedi bod yn brysur yn coginio cawl pryfid a wedi gwneud yn siwr ei fod yn gyfforddus.

Wedi'r haul godi ar bore dydd Sul, deffrodd holl anifeiliaid yr afon ac yna aethant ar eu ffordd i gartref Carwyn gyda anrhegion arbennig.

Yn fuan, roedd y pafiliwn yn orlawn gyda dodrefn, addurniadau a hambyrddau o fwydydd blasus. Roedd Miss Pysgodyn wedi dod a'i chwaraewr cerddoriaeth a ddigonedd o'i hoff recordiau.

Codwyd arwydd roedd Sali wedi paratoi dros mynedfa y pafiliwn, ac arno roedd *Pafiliwn Carwyn y Cranc* mewn llythyrennau crwn ar cragen perl.

Aeth y corgimwch i nol Carwyn, a mi roedd hwnnw yn dal i orwedd yn ei wely yn y tywyllwch. Gyda gofal, fe all y corgimwch godi a chario Carwyn a'i wely allan i'r ardd, wrth i bawb dal eu gwynt yn obeithiol.

Dechreuodd y gwely symud wrth i Carwyn droi a throsi, cyn codi gornel o'r flanced. Eisteddodd Carwyn i fyny yn ei wely wrth syllu ar y pafiliwn a'r dorf gynhyrfus. Nid oedd neb wedi gweld gwyneb o'r fath syndod o'r blaen.

Dechreuodd ddagrau rhedeg o'i lygaid bach du, ac mi ddiflanodd blinder a siom yr wythnos diwerthaf o'i feddwl. Roedd Carwyn wrth ei fodd ac yn hapus unwaith eto, ac roedd mor ddiolchgar. Dyna ble roedd y pafiliwn, yn union fel ei gynllun ac yn union sut roedd wedi ei ddychmygu. Ond beth roedd yn ei wneud yn hapusach oedd sylwi faint o ffrindiau anhygoel roedd ganddo.

Bu Carwyn a'i ffrindiau yn mwynhau y parti a'r pafiliwn drwy'r dydd, ac ar ol iddi nosi goleuwyd y lampiau roedd y lywysen wedi sefydlu ac eisteddodd y dorf yn y pafiliwn tan oriau mân y bore. Roedd y noson yn hyfryd o las, wrth i'r cerddoriaeth o'r chwaraewr llifo i'r bae ac yna i lawr yr afon.

Lightning Source UK Ltd.
Milton Keynes UK
UKHW051811170822
407439UK00002B/92